Un día en Ciudad de México

UN DÍA, UNA CIUDAD, UNA HISTORIA

ERNESTO RODRÍGUEZ

difusión

Colección **Un día en...**

Autor
Ernesto Rodríguez

Asesoría
César Chamorro
Coordinación editorial
Pablo Garrido
Redacción
Gema Ballesteros
Documentación
Carolina Domínguez
Corrección ortotipográfica
Carmen Aranda
Diseño y maquetación
Oriol Frias
Traducción
BCN Traducciones

© Ernesto Rodríguez y Difusión, Centro de Investigación y Publicaciones de Idiomas, Barcelona 2016

ISBN: 978-84-16657-45-2
Reimpresión: febrero 2019
Impreso en España por Imprenta Mundo

difusión

C/ Trafalgar, 10, entlo. 1ª
08010 Barcelona
Tel. (+34) 93 268 03 00
Fax (+34) 93 310 33 40
editorial@difusion.com

www.difusion.com

MIXTO
Papel procedente de fuentes responsables
FSC® C125125

Un día en Ciudad de México

UN DÍA, UNA CIUDAD, UNA HISTORIA

ÍNDICE

Diccionario visual .... p. 4
CAPÍTULO 1 .... p. 6
ACTIVIDADES .... p. 12
APUNTES CULTURALES ..... p. 14

Diccionario visual .... p. 16
CAPÍTULO 2 .... p. 18
ACTIVIDADES .... p. 24
APUNTES CULTURALES ..... p. 26

Diccionario visual .... p. 28
CAPÍTULO 3 .... p. 30
ACTIVIDADES .... p. 36
APUNTES CULTURALES ..... p. 38

Diccionario visual .... p. 40
CAPÍTULO 4 .... p. 42
ACTIVIDADES .... p. 46
APUNTES CULTURALES ..... p. 48

GLOSARIO .... p. 50
APUNTES CULTURALES
(traducción) .... p. 52

¡Comparte tus fotos y vídeos de la ciudad!

#undiaenciudaddemexico

Audios y soluciones de las actividades en
difusion.com/ciudaddemexico.zip

Diccionario visual Capítulo 1

Tesoro

Fotografía

Pantalla

Taza

Bandera

Sofá

Ojos rasgados

Palacio

Pelo

Libro

Camiseta

Pijama

(Teléfono) móvil

5

CAPÍTULO 1

¡Por fin[1] ha llegado el día! Hoy Miyuki y Raúl tienen una cita, como en los viejos tiempos. Viven en México desde hace más de tres meses, pero, hasta hoy, no han tenido ni un solo día de tranquilidad.

Miyuki y Raúl son pareja desde hace más de cuatro años. Ella es japonesa y tiene 29 años; él es mexicano y tiene 32. Ambos[2] son ingenieros y se conocieron trabajando en una empresa informática, en Japón. Raúl y Miyuki han dejado sus trabajos y se han mudado a México, el país natal de Raúl, porque Miyuki ha recibido una importante oferta de trabajo en una multinacional y porque Raúl necesita tiempo para su proyecto personal: un videojuego de realidad aumentada[3] para teléfonos móviles.

La comunidad extranjera

Actualmente, viven en México alrededor de un millón de inmigrantes. Las comunidades extranjeras con mayor número de habitantes en el país son Estados Unidos, España y Guatemala. Japón, el país de Miyuki, ocupa el puesto 25 en esta clasificación.

Los primeros meses de Miyuki en el país norteamericano han sido muy estresantes: primero, el traslado a su nueva casa y, después, las obligaciones de su nuevo empleo. ¡Pero por fin tiene tiempo libre! Este domingo, Miyuki no tiene que ir a ninguna reunión, ni escribir ningún informe[4], ni solucionar ningún problema... Este domingo, por fin, es para ella y su pareja. Pero Miyuki no sabe que Raúl está terminando su videojuego y que estos días está muy ocupado.

El videojuego para teléfono móvil de Raúl es una aplicación que reparte tesoros por la ciudad. El usuario tiene que encontrar los tesoros enfocando[5] a su alrededor desde la pantalla de su teléfono móvil. Los tesoros pueden ser diferentes cosas: desde su canción favorita hasta una fotografía donde ha sido etiquetado[6]. ¡Es como un viaje por la historia de tu propia vida!

Pero el juego no solo tiene tesoros: también tiene logros[7] por desbloquear[8]. Estos logros son retos[9] para el jugador en su propia vida. Cosas que siempre ha querido hacer y nunca se ha atrevido[10]. Con el juego de Raúl, ganas puntos por desbloquear los logros de tu propia vida. La realidad aumentada es eso: convertir la vida en un videojuego.

Raúl está muy emocionado por terminarlo. Hace dos días que juega constantemente a su videojuego. No quiere ningún fallo[11]. Hoy, sin embargo, no puede jugar. Le ha prometido un día especial a Miyuki. Ella necesita respirar[12], descansar ¡y conocer la ciudad! Su novia no ha paseado nunca por el centro de la ciudad. Solo ha ido de casa al trabajo y del trabajo a casa.

Son las nueve y media de la mañana. Raúl sale de la habitación y encuentra a Miyuki en el sofá. Lleva un pijama de color rosa y una camiseta vieja de Hello Kitty. Tiene una taza de café en una mano y un libro de Juan Rulfo en la otra. Está leyendo, concentrada.

—¿Juan Rulfo? —dice Raúl, a modo de saludo.

—¡Buenos días! —responde Miyuki.

—¿Entiendes algo de lo que hay en esa novela?

—¡Sí! Casi todo, ¿por qué?

—Porque yo soy mexicano y no entiendo a Rulfo.

—Pero yo soy más inteligente que tú —responde Miyuki, riéndose.

—Ja. Mira cómo me río. Ja y ja.

—¡Hoy es nuestro día! —dice Miyuki.

—Sí. Desayunamos algo y salimos, ¿de acuerdo?

—¡De acuerdo!

—¿Qué quieres ver primero? —pregunta Raúl.

—Quiero verlo todo —responde Miyuki.

—No se puede ver todo en un día. Esta ciudad es gigantesca —dice Raúl—. Vamos a empezar por su corazón.

—¿Cuál es el corazón de esta ciudad? —pregunta Miyuki.

—El Zócalo —responde Raúl.

Raúl mira a Miyuki, la contempla: su pelo negro, liso, suelto; sus ojos rasgados; su pequeña nariz... Luego, se acuerda de su videojuego y, mientras mira a su chica con ojos enamorados, piensa en su creación.

A las once y media de esta mañana de domingo, Raúl y Miyuki llegan a la plaza de la Constitución, también llamada El Zócalo.

Durante todo el trayecto[13] que han hecho en metro, Raúl ha estado pensando en su videojuego. Todavía no está perfecto. Todavía tiene que probar algún logro por desbloquear y comprobar si todo funciona correctamente. No puede quitarse de la cabeza uno de los logros que ha programado. Hoy quiere comprobar si ese logro está bien diseñado, pero le ha prometido a Miyuki que no va a tocar el teléfono móvil en todo el domingo. No sabe qué hacer... Raúl no ha escuchado casi nada de lo que le ha dicho Miyuki. A sus preguntas, solo ha respondido "sí", "no" o "no lo sé".

Miyuki ha visto que su chico está ausente, y piensa que, seguramente, está pensando en el videojuego. Está un poco molesta por esa razón. Ella quiere disfrutar de su día sin preocupaciones, y no entiende por qué Raúl no puede desconectar al menos un día de su aplicación. Ese juego de realidad aumentada convierte su amor en algo menos importante. La vida que comparten es ahora una realidad disminuida.

El Zócalo

Es la plaza principal de la ciudad. Tiene una forma casi rectangular y en ella se encuentran edificios tan importantes como la Catedral Metropolitana o el Palacio Nacional. Está en el centro histórico y es el lugar donde se celebran la mayoría de manifestaciones y concentraciones ciudadanas.

Ahora están delante de una enorme bandera de México, en el centro de la plaza. Miyuki mira a su alrededor, maravillada ante las impresionantes obras arquitectónicas que hay allí. A un lado, la Catedral Metropolitana, a otro lado, el Antiguo Palacio del Ayuntamiento[14]. Detrás de ellos, el Palacio Nacional.

—Es impresionante —dice Miyuki.

Mira a Raúl, que tiene la mirada perdida. No ha escuchado lo que le ha dicho.

—Raúl...

—...

—¡Raúl!

Raúl reacciona. Mira a su novia y responde:

—¿Sí?

—¿En qué estás pensando?

—¿Eh? En nada...

—No me escuchas. ¿Estás pensando en el videojuego?

—...

—¡Raúl!

—¡Sí! Es que lo estoy terminando...

—¡Pero hoy es nuestro día!

Miyuki pone una cara muy divertida cuando se enfada. Cada palabra que sale de su boca es una maravillosa diversión para Raúl. Es una chica adorable, pero a veces puede ser un poco egoísta[15]. Solo piensa en ella, en sus preocupaciones; no entiende que él también tiene sus propias preocupaciones.

—Ya, pero ¿por qué precisamente hoy es el día para nosotros, Miyuki?

—¿Cómo?

—Ya me oíste. ¿Por qué es este domingo y no otro día?

—Hoy no tengo ninguna reunión, ya lo sabes.

—Sí, ya lo sé. ¿Pero has pensado en mí?

—¡Tú nunca tienes reuniones! Trabajas por tu cuenta —responde Miyuki.

—¡Pero también tengo responsabilidades! ¡También tengo cosas que hacer!

—Solo es un videojuego...

Raúl da un paso atrás. Quiere estar lejos de Miyuki. Se siente enojado con ella. Piensa que le ha faltado al respeto[16]. Ella se da cuenta de[17] su error y dice:

—Raúl, perdona...

—Tranquila. Me ha quedado claro lo que piensas de mi trabajo.

Raúl se aleja de Miyuki. Ella se queda de pie[18], quieta[19], delante de la bandera de México. Allí, sin mover ni un dedo[20], puede ver cómo su novio camina hacia la salida de El Zócalo, cómo coge el teléfono móvil y echa a correr.

Raúl, por su parte, se ha alejado de Miyuki y piensa que enfadarse con ella ha sido la mejor estrategia para mirar su teléfono móvil. En la pantalla aparece este mensaje:

Tesoro a desbloquear a 100 metros.
Dirección este.

Mientras Raúl corre hacia su nuevo tesoro, Miyuki piensa: "¡Solo ha tardado cinco segundos en olvidarse de mí!"

ACTIVIDADES
CAPÍTULO 1

①

Raúl y Miyuki empiezan este domingo con diferentes preocupaciones. Indica si las siguientes frases hablan de Miyuki, de Raúl o de ambos.

	Raúl	Miyuki
Tiene una reunión la semana que viene.		
Quiere terminar su proyecto lo antes posible.		
Necesita un día de descanso.		
Necesita tiempo para su trabajo.		
Está perfeccionando su español.		
No entiende completamente la literatura de Juan Rulfo.		
Quiere conocer los tesoros de la ciudad.		
Quiere encontrar sus tesoros en la ciudad.		
Ha empezado en una nueva empresa hace poco tiempo.		
Ha trabajado en una multinacional.		
Trabaja en una multinacional.		

②

Completa el siguiente texto usando la forma adecuada de los verbos *ser*, *estar* o *haber*.

El Zócalo_____la plaza principal de México y_____en el centro histórico de Ciudad de México. En El Zócalo_____varios edificios importantes:

• El Palacio Nacional_____la sede del gobierno de México. _____ en el lado este de la plaza de la Constitución (que_____el nombre oficial de El Zócalo).

• La Catedral Metropolitana_____en el lado norte de la plaza. _____ la catedral más grande de Latinoamérica.

• El Antiguo Palacio del Ayuntamiento_____en el lado sur de la plaza._____el edificio más antiguo de los tres.

3

Raúl solo piensa en su videojuego, por eso sus respuestas son breves. Escribe cada pregunta de Miyuki en su lugar correspondiente.

| ¿Por qué? | ¿En qué piensas? |

¿Has terminado ya tu videojuego?

¿El Zócalo es la plaza más grande de la ciudad?

Miyuki:_____
Raúl: Sí. No hay otra más grande.
Miyuki:_____
Raúl: Todavía no.
Miyuki:_____
Raúl: Porque no he tenido tiempo.
Miyuki:_____
Raúl: En nada.

Ciudad de México

¿QUÉ VISITAR?

Ciudad de México es el núcleo urbano más grande del país y, si consideramos toda su zona metropolitana, hablamos de la extensión urbana más grande de todo el continente americano y de todo el mundo.

APUNTES
CULTURALES

Sin duda, Ciudad de México es uno de los corazones urbanos más destacables que existen. También es una muestra de muchos momentos históricos diferentes y de muy diversas expresiones culturales. ¿Qué zonas podemos disfrutar en esta ciudad infinita?

Si paseamos por el centro histórico de la ciudad, ubicado alrededor de El Zócalo, podremos ver muchos monumentos históricos. Ciudad de México ha crecido alrededor de este núcleo original.

Otro barrio interesante es la Colonia Roma. Se trata de una zona con un estilo europeo y aristocrático. Aquí se pueden ver casas antiguas y edificios modernos.

Coyoacán también tiene un gran atractivo turístico: es uno de los barrios más antiguos de la ciudad y tiene una atmósfera bohemia. En este barrio han vivido personalidades como Frida Kahlo, Diego Rivera o León Trotski.

Diccionario visual Capítulo 2

Boca de metro

Mesa

Timbre

Zona peatonal

Videoconsola

Ojo

Camisa
a cuadros

Balcón

Teléfono
fijo

Mano

Tarta
de cumpleaños

Bolsillo

Velas

CAPÍTULO 2

El tesoro de Raúl está delante del Museo del Templo Mayor, en una zona peatonal. Desde la pantalla de su teléfono móvil, Raúl puede ver que el tesoro es una fotografía de Miyuki en la casa de sus padres, en Tokio. Parece que hoy[1] Miyuki es el centro de todo, incluso[2] de su videojuego. En ese momento, recuerda el logro por desbloquear que quiere probar[3] hoy. Pero para desbloquear el logro necesita a Miyuki.

Raúl piensa en que tiene que volver con ella. En ese momento, oye la voz de Miyuki.

—¡Quieres más a tu maldito[4] juego que a mí!

Raúl se gira hacia ella.

—¿Qué haces aquí?

—Has empezado a correr como un desesperado[5]. Me he preocupado y te he seguido[6]. Pero veo que solo es tu videojuego.

El Museo del Templo Mayor

Desde 1987, este museo muestra los hallazgos de numerosas excavaciones arqueológicas. La función del Museo del Templo Mayor es investigar, difundir, conservar y proteger el patrimonio prehispánico de México.

—Miyuki, yo no critico tu trabajo —dice él.

Un aviso llega al teléfono de Raúl. Seguramente es otro tesoro de su videojuego. Raúl tiene el móvil en la mano. Delante de él, Miyuki lo mira con ojos furiosos[7].

—¿Lo vas a mirar? —pregunta ella.

Raúl no contesta. Piensa en guardar el teléfono en el bolsillo del pantalón y no mirarlo más, pero ¿y si es el logro que quiere desbloquear? Tiene que comprobar que lo ha programado correctamente. Decide mirar.

—Estoy harta[8] —dice Miyuki, que se acerca hasta su novio. Coge el teléfono de las manos a Raúl y lo lanza hacia arriba. El teléfono sube y sube (qué fuerza tan extraordinaria, piensa Raúl) y aterriza en el balcón de uno de los edificios que hay en aquel lugar.

—¡Estás loca!

—¿Loca yo? ¡Tú vives en un videojuego! —grita Miyuki.

Raúl mira a su novia. Su rostro ya no es divertido, sino agresivo. Miyuki tiene un atractivo muy especial cuando grita de esa forma, pero Raúl no puede más.

—Vete a la mierda[9], Miyuki —dice Raúl. Y se va.

Y Miyuki, otra vez, se queda parada y sola en medio de aquella enorme ciudad que no conoce.

Quince minutos después, Raúl está delante del edificio del Museo de la Ciudad de México, a medio kilómetro del lugar donde se ha despedido (de mala manera[10]) de Miyuki. Piensa en ella. Piensa en que tiene que volver con ella, porque no conoce la ciudad y porque no tiene ninguna forma de contactar con él. No recuerda su número de teléfono. Nunca lo ha sabido. Es lo malo del desarrollo tecnológico[11]: hace a las personas más y más inútiles. ¿Qué puede hacer? Lo mejor es volver al último lugar donde la ha visto.

Unos instantes después, llega hasta la zona del Museo del Templo Mayor. Allí no hay nadie. Raúl está muy nervioso. Piensa: "¿Y si llamo a la Policía? No, Raúl, no hay que ser exagerado[12]. Es una mujer adulta y responsable. No va a pasar nada. ¿Y qué puedo hacer?"

—¡Miyuki! —grita Raúl. Mira a su alrededor y no la ve. Las personas que están en la calle lo miran, pero ninguna de esas personas es Miyuki—. ¡Miyuki!

Mientras Raúl piensa en la mejor manera de encontrar a Miyuki, ella está cerca de allí, en la calle de Seminario. Tiene el teléfono de Raúl en la mano. Cuando su novio se ha ido, ella ha llamado a los timbres del edificio donde se ha colado el teléfono móvil.

El Museo de la Ciudad de México

En este palacio virreinal construido en 1536 está la biblioteca Jaime Torres Bodet, que es la mayor colección de libros sobre Ciudad de México que existe.

Foto: Diego Delso, Wikimedia Commons, License CC-BY-SA 3.0.

—¿Sí?

—Hola, ¿puede comprobar si hay un celular en su balcón?

—¿Qué? No queremos propaganda[13].

—No es propaganda. Por favor, ¿puede comprobar…

—No tenemos balcón.

Miyuki ha llamado a cinco timbres hasta encontrar al inquilino[14] del apartamento correcto. Cuando Miyuki ha recuperado el teléfono de Raúl ha visto un nuevo aviso en la pantalla:

Tesoro a desbloquear a 100 metros.
Dirección norte.

No ha podido resistir la tentación de buscar el tesoro.

Mientras[15] Miyuki busca el tesoro del videojuego de Raúl, él decide volver a su casa y contactar con Miyuki desde el teléfono fijo. Tiene que coger el metro y alejarse del centro. Llega hasta la boca de metro más cercana y entra. Ahora no tiene ni a su novia ni su videojuego. Se siente solo, perdido en su propia ciudad.

El tesoro que encuentra Miyuki en la calle Justo Sierra es una canción de Julieta Venegas que a Raúl le gusta mucho y que han escuchado juntos muchas veces. Miyuki escucha la canción y sonríe, feliz. Ahora entiende[16] un poco mejor a su novio. ¡Ese juego es muy divertido! Miyuki se pregunta qué tesoros puede haber por la ciudad. Un nuevo aviso llega al teléfono de Raúl:

Tesoro a desbloquear a 1200 metros.
Dirección oeste.

¿Qué puede ser? Miyuki echa a andar en la dirección indicada en el videojuego.

Casi una hora después, Raúl llega a su parada[17] y sale del metro. Su apartamento está a unos minutos de la boca de metro de Copilco, en el sur de la ciudad. Raúl llega a su casa y coge el teléfono fijo. Llama al teléfono de Miyuki, pero ella no contesta... porque está concentrada en la pantalla del teléfono de Raúl.

Desde la pantalla, Miyuki mira a su alrededor. Está delante del majestuoso Palacio de Bellas Artes. Unos metros a la izquierda del edificio está el tesoro: es una fotografía. En ella aparece Raúl con unos quince o dieciséis años junto a su padre. Ambos están sentados en una mesa, frente a una tarta de cumpleaños con dos velas encendidas: un 5 y un 0. Raúl lleva una camiseta azul y tiene en sus manos una videoconsola portátil. Su padre lleva una camisa a cuadros y está sonriendo. Esa tarta de cumpleaños tiene que ser para él.

El Palacio de Bellas Artes

Fundado en 1934, es el primer museo de arte en la historia de México. En los escenarios del Palacio de Bellas Artes han actuado grandes artistas como Maria Callas, Luciano Pavarotti, Plácido Domingo o Rudolf Nuréyev.

Miyuki ha visto solo dos o tres fotos de él en toda su vida. Cuando le pregunta a Raúl por su padre, la respuesta siempre es la misma: "Está en el cielo"[18]. Raúl no ha querido decirle la fecha de su muerte ni el por qué. Miyuki sabe que Raúl es huérfano[19] de padre desde hace más de una década[20]. Quizás esa foto del 50 cumpleaños es una de las últimas que Raúl tiene de él.

Miyuki tiene una sensación incómoda. El juego de realidad aumentada de Raúl es sobre la vida privada de Raúl, no sobre la vida que comparte con ella. Siente que es una espía en los recuerdos de su novio: puede ver todo lo que él nunca ha querido mostrarle.

No puede esperar al momento de recibir otro aviso. Necesita seguir jugando.

Unos instantes después, llega otro aviso al teléfono de Raúl. Un nuevo tesoro, en otro lugar de esa ciudad nueva para ella.

ACTIVIDADES
CAPÍTULO 2

1

La canción de Julieta Venegas que encuentra Miyuki se llama *Limón y sal*. Escúchala en internet y completa la letra con los verbos en la forma adecuada.

Tengo que confesar que a veces, no me (gustar)_____tu forma de ser.

Luego te me (desaparecer)_____y no (entender)_____muy bien por qué.

No (decir)_____nada romántico cuando (llegar)_____el atardecer.

(Ponerse)_____de un humor extraño con cada luna llena al mes.

Pero todo lo demás le (ganar)_____lo bueno que me das.

Solo tenerte cerca, (sentir)_____que (volver)_____a empezar

Yo te (querer)_____con limón y sal,

yo te (querer)_____tal y como estás,

no (hacer)_____falta cambiarte nada.

Yo te (querer)_____si (venir)_____o si (ir)_____, si (subir) _____ y (bajar)_____,si no (estar)_____seguro de lo que (sentir) _____.

(Tener)_____que confesarte ahora, nunca creí en la felicidad.

A veces algo se le (parecer)_____pero (ser)_____pura casualidad.

Luego me (venir)_____a encontrar con tus ojos, me (dar)_____algo más.

Solo tenerte cerca, (sentir)_____que vuelvo a empezar.

Raúl se ha peleado con Miyuki y sus pensamientos están muy confundidos. Ordena estas frases de Raúl.

¡muy Miyuki conmigo injusta es!

----

para videojuego tiempo terminar Necesito mi

----

quiero No novia discutir mi con

¿tirado móvil qué ha mi teléfono Por?

¡enfadado muy Estoy!

----

quiero Miyuki con hablar No

3

Esta es la conversación entre Miyuki y el vecino al que ha lanzado el teléfono de Raúl. Ordénala.

Miyuki

☐ Disculpe, creo que en su balcón hay un celular.

☐ Hola, buenos días.

☐ ¿Puede comprobarlo?

☐ Que creo que hay un celular. He lanzado un celular a su balcón.

Vecino

☐ Sí, voy.

☐ Buenas...

1 ¿Quién es?

☐ ¡¿En serio?!

☐ ¿Cómo?

La herencia prehispánica

UN MAR DE CULTURAS

Cuando hablamos del México prehispánico, nos referimos al periodo histórico de esa zona del planeta antes de la conquista española a partir del 1521. Es decir, que hablamos de un periodo muy largo de miles de años.

APUNTES
CULTURALES

En el lugar que ahora ocupa México han vivido un gran número de pueblos antes de la llegada de los españoles. Actualmente hay muchos yacimientos y excavaciones arqueológicas donde se pueden encontrar restos del patrimonio histórico y cultural de todas estas civilizaciones.

En el primer milenio antes de Cristo, en el valle donde ahora está Ciudad de México hubo una ciudad que ahora se conoce como Cuicuilco. Fue un asentamiento importante hasta que la erupción del volcán Xitle lo destruyó.

La cultura mexica es una de las más destacables que ha ocupado Ciudad de México. Son precisamente los mexicas quienes fundan Tenochtitlan, probablemente la metrópoli más grande de América hasta el siglo XVII.

La herencia mexica está presente en ámbitos tan diversos como la agricultura, la literatura y el arte. Sus esculturas reproducen animales y dioses en una mezcla de realismo y simbolismo.

Diccionario visual Capítulo 3

Bolso

Salón

Cielo

Vaso de agua

Cocina

Mesita de salón

Lago

Habitación

Celular

Nubes

Lancha

Agotarse
la batería

CAPÍTULO 3

Miyuki no da señales de vida[1]. Raúl la ha llamado seis veces, pero ella no contesta. Empieza a estar muy preocupado. Da vueltas por la casa. Se sienta en el sofá, se levanta. Va a la cocina, bebe un vaso de agua, sale de la cocina. Entra en la habitación, no sabe qué buscar y vuelve al salón. Se sienta otra vez en el sofá. Se fija en[2] un libro que hay sobre la mesita del salón, delante de él. Es el libro de Juan Rulfo que está leyendo Miyuki. Lo coge, lee el título de la portada[3]: *Pedro Páramo*. Deja el libro de nuevo en la mesita. Raúl piensa que la mejor manera de entretenerse es jugar a su videojuego. ¡Ha perdido su celular, maldición[4]! Está muy nervioso. Coge otra vez el libro, lo abre y pasa las páginas. En los márgenes[5] de las páginas hay anotaciones[6] escritas por Miyuki: definiciones en japonés de algunas palabras difíciles, ejemplos de su uso en algunas frases que ha inventado la misma Miyuki.

—¿Y a qué va usted a Comala, si se puede saber? —oí que me preguntaban.

Voy a ver a mi padre contesté.

—¡Ah! —dijo él.

Y volvimos al silencio.

Caminábamos cuesta abajo, oyendo el trote rebotado de los burros. Los ojos reventados por el <u>sopor</u> del sueño, en la <u>canícula</u> de agosto.

Sopor: sueño. El trabajo me provoca sopor.

Canícula: la canícula es mucho calor.

68

Raúl piensa en los esfuerzos[7] de Miyuki por aprender español. En realidad, su novia siempre intenta hacerlo todo a la perfección: siempre intenta ser la mejor profesional y también la mejor compañera de vida.

Raúl deja el libro sobre la mesita. Coge el teléfono y llama otra vez a Miyuki.

El teléfono móvil de Miyuki vibra[8] otra vez dentro del bolso. Es la una y media de la tarde de este domingo. Miyuki está en el Paseo de la Reforma, delante del Ángel de la Independencia. A su alrededor, los edificios son altos y modernos, como en su ciudad natal. El cielo es azul, sin nubes. El sol calienta su piel. El videojuego de Raúl dice que a dos metros de ella hay un nuevo tesoro. En el instante en que llega al punto exacto, su teléfono móvil reproduce un vídeo: tiene fecha de cinco años atrás. Es un vídeo grabado exactamente en ese sitio. En él aparece Raúl; detrás de él, el Ángel de la Independencia. Esto es lo que dice:

Paseo de la Reforma

El Paseo de la Reforma es la avenida más importante de la ciudad. Por su recorrido se encuentran monumentos, como el Ángel de la Independencia y el monumento a Colón, o edificios que definen el perfil de la ciudad, como la Torre BBVA Bancomer.

«Mari Carmen, aquí estoy, frente al Ángel de la Independencia, para decirte que he aceptado la oferta de trabajo[9] en Japón. Me voy. Quizás[10] no te importa. Quizás esta noticia no tiene ninguna importancia para ti, pero yo necesito despedirme[11]. Necesito decirte que me voy porque todo lo que hay en esta ciudad me recuerda a ti. Por eso me voy. No quiero pensar en ti todo el tiempo. Mucha suerte. Adiós.»

Miyuki, absorta[12], deja caer el teléfono al suelo[13]. ¿Quién es esa Mari Carmen? ¿Es su exnovia? ¿Por qué no le ha hablado nunca de ella?

—Oye.

—…

—¡Oye!

Miyuki reacciona. Un señor tiene el teléfono de Raúl en sus manos. Se lo ofrece a Miyuki.

El Ángel de la Independencia

Es un homenaje al centenario de la Independencia de México y uno de los iconos de la ciudad. Es una columna sobre la que hay una estatua de la Victoria Alada, con una corona de laurel en una mano y una cadena rota en la otra.

—¿Este celular es tuyo?

—¿Eh?... Sí... —Miyuki coge el teléfono de Raúl.

—¿Estás bien? —pregunta el señor.

—¿Eh?

—*Do you speak Spanish?* —pregunta él.

—Sí, perfectamente... Estoy bien, gracias —responde ella.

—¿Te has perdido?

Miyuki piensa en Raúl. Tiene la sensación de que no lo conoce. Tiene la sensación de que la vida de Raúl está en ese videojuego y no en la casa que comparte con ella. ¿Quién es Mari Carmen? ¿Quién es Raúl?

—Sí... estoy un poco perdida —responde, finalmente.

El teléfono de Raúl suena. Es un aviso del videojuego. El maldito videojuego y sus malditas revelaciones. Lo odia[14]. Odia el videojuego y odia un poco a Raúl. A él lo odia porque se siente triste, desconcertada[15].

—¿Te puedo ayudar? —dice el señor.

Miyuki mira el teléfono móvil. El aviso que aparece en la pantalla es:

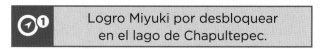

Logro Miyuki por desbloquear
en el lago de Chapultepec.

¡Un logro! ¡Un logro con su nombre! Una novedad totalmente inesperada.

—Sí —le dice Miyuki al señor—. ¿Cómo puedo llegar al lago de Chapultepec?

Las anotaciones de Miyuki en el libro de Juan Rulfo son casi un manual de instrucciones[16] para entenderla. Las frases que ella ha escrito para entender algunos conceptos definen a Miyuki perfectamente. Las frases que ha escrito hablan de sus problemas en el trabajo, de sus sueños[17], de sus planes de futuro con él.

> Salió fuera y miró el cielo. Llovía estrellas. <u>Lamentó</u> aquello porque hubiera querido ver un cielo quieto. Oyó el canto de los gallos. Sintió la <u>envoltura</u> de la noche cubriendo la tierra. La tierra, "este valle de lágrimas".
>
> *Ejemplo: Lamento tener tanto trabajo. Quiero tener tiempo para nosotros. La envoltura de las sábanas en la cama. Envolver también es abrazar. Raúl envuelve con sus brazos.*

73

Raúl ha leído ya más páginas de *Pedro Páramo* que en toda su vida. Hace más de una hora que está sentado en el sofá, esperando una llamada de Miyuki. "Si Miyuki no se pone en contacto conmigo en los próximos diez minutos, voy a llamar a la policía", piensa Raúl. ¿Y qué va a decirle a la policía?: "Hola, mi novia no contesta a mis llamadas" ¡Por favor, eso es ridículo! "Hola, mi novia es japonesa y no conoce la ciudad y creo que se ha perdido". ¡Eso es incluso más ridículo! Quiere pensar que ella se ha enfadado[18] y no quiere hablar con él. Quiere pensar que no le ha pasado nada.

Miyuki está sentada en una lancha que está flotando[19] en el lago de Chapultepec. Enfoca con el teléfono de Raúl hacia todos lados. Parece que está en el punto exacto del LOGRO MIYUKI, pero no ocurre nada. No aparece ningún aviso. Quizás es un fallo en el diseño del videojuego. Miyuki piensa que tiene que decírselo a Raúl. Pero si se lo dice a Raúl, entonces él va a saber que ella ha jugado con su teléfono móvil. "¿Y qué? Él tiene secretos peores", piensa Miyuki entonces.

En la pantalla de Raúl no aparece nada. Nada de nada.

—¡Aquí no hay ningún maldito logro Miyuki! —grita ella.

Y, en ese momento exacto, el teléfono de Raúl se apaga[20]. Se ha agotado la batería.

ACTIVIDADES
CAPÍTULO 3

1

Miyuki y Raúl han encontrado varios tesoros en Ciudad de México. Relaciona cada tesoro con el lugar en el que ha aparecido. Después, compruébalo en el libro.

TESORO	LUGAR
Canción de Julieta Venegas ●	● Delante del Museo del Templo Mayor
Foto del cumpleaños ● del padre de Raúl	● Frente al Palacio de Bellas Artes
Video de Raúl a su ex ●	● Ángel de la Independencia
Foto de Miyuki ● con sus padres	● Calle Justo Sierra

2

¿Qué crees que es el logro Miyuki?

3

Imagina que juegas al videojuego de Raúl. ¿Qué tesoros puedes encontrar en tu ciudad? Selecciona cuatro de esta lista y completa la tabla.

una película	una canción	una foto
un recuerdo	un objeto	un dibujo
una frase	un plato	un libro

Tesoro	¿En qué lugar de la ciudad está?	¿Por qué lo has elegido?

Literatura mexicana

UN SINFÍN DE HISTORIAS

México es uno de los países que más autores y obras aportan a la literatura en español. Es, también, uno de los epicentros del llamado "*boom* literario latinoamericano", de mediados del siglo XX.

CARLOS FUENTES
La muerte de Artemio Cruz

DEBOLSILLO

Octavio Paz

El laberinto de la soledad

Edición de
Enrico Mario Santí

CATEDRA
Letras Hispánicas

PARA CHOCOLATE
NOVELA EN DOCE ENTREGAS CON
RECETAS, AMORES Y REMEDIOS CASEROS

Esquivel

deselasados

Elena Poniatowska
La noche de Tlatelolco

APUNTES
CULTURALES

De este país, son originarios autores tan importantes como Octavio Paz, Jaime Sabines, Elena Poniatowska, Carlos Fuentes, Ángeles Mastretta, Juan Rulfo, José Emilio Pacheco y Laura Esquivel; todos ellos nombres imprescindibles para entender la literatura en la lengua de Cervantes.

Octavio Paz, poeta, escritor y ensayista, ganó el Premio Nobel de Literatura en 1990. Sus obras más importantes son *El Laberinto de la soledad*, *Libertad bajo palabra* y *Blanco*.

La novela de Juan Rulfo, *Pedro Páramo*, está considerada una obra maestra. En ella, el autor altera la estructura clásica de la novela y utiliza diferentes personas narrativas. Se trata de una obra literaria adelantada a su tiempo.

La novelista Elena Poniatowska gana el Premio Cervantes en 2013. Algunas de sus obras son *Hasta no verte Jesús mío* y *La noche de Tlatelolco*. Su obra está muy influida por el periodismo.

Diccionario visual Capítulo 4

Coleta

Armónica

Corazón

Cámara

Carta

Puñal

Sol

Revistas

CAPÍTULO 4

—¡Mierda[1], mierda, mierda! —grita Miyuki.

Todas las personas que están en las lanchas del lago miran a la japonesa. Son casi las tres de la tarde de este domingo, 15 de septiembre: día de la Independencia. Esta noche, el Zócalo va a estar lleno de[2] gente gritando[3] y celebrando la independencia de México. Se va a retransmitir por televisión, pero Miyuki no va a ver la televisión esta noche, aunque ella aún no lo sabe. En este momento, ella salta en la lancha del lago, desesperada:

—¡Tengo que desbloquear el logro Miyuki!

"¡Tengo una idea!", piensa Miyuki. "Puedo cambiar la batería[4] de mi celular por la del teléfono de Raúl". Busca en su bolso y encuentra su teléfono. En ese momento, por fin, observa que tiene siete llamadas perdidas[5] desde su teléfono fijo. "¡Tiene que ser Raúl!", piensa ella. En ese momento, ve que son las tres de la tarde,

Festividades

El grito de la independencia reúne cada año a miles de personas en El Zócalo. Es el evento principal del Día de la Independencia. Hay otras fiestas importantes durante el año, como el Día de Muertos (2 de noviembre) o el Aniversario de la Revolución Mexicana (20 de noviembre).

y que hace ya algunas horas que no habla con él. Es raro[6]: durante todo el día ha tenido la sensación de estar acompañada, pero ahora ve que Raúl ha estado todo este tiempo solo en casa, preocupado por ella. Decide llamar a su teléfono fijo. Raúl contesta.

—¿Miyuki?

—Hola —dice ella.

—¡Miyuki! ¿Dónde estás? ¿Estás bien? ¿Te pasó algo?

—Sí, sí. Perdona. No oí el teléfono.

—¡Te llamé mil veces!

—No, me llamaste siete veces.

—¡Es una forma de hablar, chingá[7]! —grita Raúl.

—Ah...

—¿Qué has estado haciendo?

—He estado conociendo un poco más tu... ciudad.

—¿Dónde estás?

Miyuki mira a su alrededor. Mira las aguas del lago de Chapultepec reflejar el brillo del sol. Mira las otras lanchas. En una de ellas hay una pareja[8] de chicas leyendo; una lee una revista de moda, la otra lee una carta. En otra, una niña y un niño se hacen un *selfie*. En otra lancha, una chica con coleta toca canciones con una armónica. En otra, un chico rema[9] con energía mientras una chica, seguramente su novia, le hace fotos con su cámara analógica. Fotos de una experiencia juntos. Las lanchas de los lagos están diseñadas para usarlas en pareja. Estar sola en una lancha es patético. Pasar así su único día libre es patético. No conocer en absoluto a su novio después de cuatro años juntos es patético.

—¿Miyuki? —pregunta Raúl.

—¿Sí?

—¿Dónde estás? ¿Estás con alguien?

—No. Claro que no. Estoy sola[10]. Estoy en el lago de Chapultepec, en una lancha.

Raúl se levanta[11] del sofá, sorprendido[12]. ¿Miyuki en una lancha del lago? ¡Eso solo puede significar una cosa! La siguiente pregunta es obvia:

—¿Tienes mi celular?

Miyuki abre los ojos como platitos[13].

—¿Cómo lo sabes? —pregunta ella.

—Es la única explicación que puedo imaginar.

—¿Por qué?

—¿Por qué estás allí?

Miyuki no sabe qué responder. Parece que Raúl sabe perfectamente la respuesta a esa pregunta. Decide confesar[14]:

—Antes, cuando te fuiste, recuperé tu celular. Vi un aviso de tu videojuego, un tesoro que hay que desbloquear…

—¿Jugaste a mi juego? —pregunta Raúl, emocionado.

—Sí…

—¿Qué tesoro desbloqueaste?

—Una canción de Julieta Venegas, y luego una foto…

—¿Qué foto?

—Una en la que sales tú con tu padre en su 50 cumpleaños.

El recuerdo[15] de esa fotografía se clava[16] en el corazón de Raúl como un puñal.

—¿Raúl?

—…

—¿Raúl, estás ahí?

—…

Miyuki imagina el dolor[17] que tiene ese silencio. Piensa que ha sido una estúpida. No tiene derecho[18] a hacer lo que ha hecho: nadie le ha dado permiso para mirar en los secretos de Raúl. No tiene derecho a desconfiar[19] de él. Espera en silencio al otro lado de la línea telefónica. Finalmente, se oye la voz de Raúl.

—Y ahora el juego te ha llevado hasta el lago de Chapultepec, ¿no?

—Eso es.

—¿Y por qué? —pregunta Raúl, aunque sabe la respuesta.

—Porque tu juego dice que aquí hay un logro Miyuki para desbloquear.

—Ya...

Durante unos instantes, no dicen nada. Miyuki, sentada en su lancha, espera a oír lo que Raúl va a decirle. Él, por su parte, sentado en el sofá de casa, mira el libro de Juan Rulfo que está leyendo Miyuki, y recuerda las palabras en los márgenes de las páginas que ella ha escrito. Nuevos conceptos para hablar de la realidad que comparte con él. Es la vida real la que importa, no la vida en un videojuego.

—Raúl, ¿cómo se puede desbloquear el logro Miyuki? —pregunta ella.

—Eso solo lo sabes tú.

—¿Qué quieres decir?

—El logro Miyuki solo se desbloquea respondiendo a una pregunta —dice Raúl.

—¿Cuál?

—Miyuki Yamahoka, ¿quieres casarte[20] conmigo?

FIN

ACTIVIDADES
CAPÍTULO 4

1

Escribe la continuación de la historia. ¿Qué responde Miyuki? ¿Qué hacen los dos?

2

Indica si las siguientes frases sobre la historia son verdaderas o falsas.

	V	F
Miyuki ha caminado más que Raúl.		
Raúl ha perdido su teléfono móvil.		
Miyuki ha aprendido nuevas palabras en español durante el día.		
Raúl ha descubierto cosas de Miyuki.		
A Miyuki le gusta el juego de Raúl.		
Miyuki ha pedido matrimonio a Raúl.		
Miyuki ha encontrado más de tres tesoros de Raúl.		
Raúl ha terminado el libro de Juan Rulfo.		
El lago de Chapultepec está dentro de un bosque.		

3

Esta es la pantalla del teléfono de Miyuki cuando está en el lago de Chapultepec. Mírala y responde a las preguntas.

¿Cuánta batería le queda?

¿Qué hora es?

¿Cuántas llamadas perdidas tiene?

¿Tiene avisos de alguna aplicación? ¿De cuáles?

El bosque de Chapultepec

EL PULMÓN DE LA CIUDAD

Es el quinto parque urbano más grande del mundo y el más antiguo de América. Cada año lo visitan más de 15 millones de personas y 200 000 cada fin de semana.

APUNTES
CULTURALES

Con una superficie de 678 hectáreas, el bosque de Chapultepec cuenta con dos lagos artificiales, diferentes espacios deportivos y muchas fuentes. Es uno de los lugares más visitados por los habitantes de Ciudad de México y por los turistas debido a los atractivos turísticos que contiene. Estos son algunos de ellos:

El Museo Nacional de Antropología tiene una de las colecciones más importantes del mundo en cultura prehispánica, además de albergar la Biblioteca Nacional de Antropología e Historia.

El Museo Nacional de Historia Castillo de Chapultepec es el único Castillo Real en toda América. Entre las colecciones que contiene destacan las de pintura, muebles, sellos y documentos.

La Casa del Lago Juan José Arreola es un centro cultural con mucho prestigio en Latinoamérica. Aquí se han encontrado los representantes de la vanguardia artística mexicana del último medio siglo.

CAPÍTULO 1

CASTELLANO	INGLÉS	FRANCÉS	ALEMÁN	NEERLANDÉS
1. ¡Por fin!	At last!	Enfin !	Endlich!	Eindelijk!
2. Ambos/-as	Both	Les deux	beide	Beiden
3. Videojuego de realidad aumentada	Augmented reality videogame	Jeu vidéo en réalité augmentée	Augmented-Reality-Videospiel	Videogame met toegevoeg-de realiteit
4. Informe	Report	Rapport	Bericht	Rapport
5. Enfocar	Aim at	Viser	fokussieren	Richten
6. Etiquetar	Labelled	Étiqueter	markieren	Etiketteren
7. Logro	Achievement	Réussite	Errungenschaft	Verdienste
8. Desbloquear	Unlock	Débloquer	freischalten	Deblokkeren
9. Reto	Challenge	Défi	Herausforderung	Uitdaging
10. Atreverse	Dare	Oser	sich wagen	Durven
11. Fallo	Mistake	Erreur	Fehler	Fout
12. Respirar	Breathe	Souffler	atmen	Op adem komen
13. Trayecto	Route	Trajet	Strecke	Traject
14. Ayuntamiento	City Hall	Mairie	Rathaus	Gemeentehuis
15. Egoísta	Selfish	Égoïste	egoistisch	Egoïstisch
16. Faltar al respeto	Disrespect (someone)	Manquer de respect	sich respektlos verhalten	Brutaal zijn tegen iemand
17. Darse cuenta de	Realize	Se rendre compte de	bemerken	Iets beseffen
18. De pie	Standing	Debout	stehen	Staand
19. Quieto/-a	Still	Immobile	still	Stil
20. Sin mover ni un dedo	Without moving a muscle	Sans bouger	ohne auch nur einen Finger zu bewegen	Geen vinger uitsteken
21. Alejarse	Drive away	S'éloigner	Sich entfernen	Zich verwijderen

CAPÍTULO 2

CASTELLANO	INGLÉS	FRANCÉS	ALEMÁN	NEERLANDÉS
1. Hoy	Today	Aujourd'hui	heute	Vandaag
2. Incluso	Even	Même	sogar	Zelfs
3. Probar	Try	Essayer	versuchen	Proberen
4. Maldito/-a	Damned	Maduit/-e	verdammt	Rot-
5. Desesperado/-a	Desperately	Désespéré/-e	verzweifelt, hier: wie verrückt	Gek
6. Seguir a alguien	Follow someone	Suivre quelqu'un	jemandem folgen	Iemand volgen
7. Furioso/-a	Furious	Furieux/-euse	wütend	Woedend
8. Estar harto/-a	Fed up	J'en ai assez	etwas satthaben	Het zat/beu zijn
9. Vete a la mierda	Drop dead / go to hell	Va te faire voir	Verpiss dich	Rot op!
10. De mala manera	Rudely	Vilainement	mehr schlecht als recht	Botweg
11. Desarrollo tecnológico	Technological development	Développement technologique	technologische Entwicklung	Technologische ontwikkeling
12. Exagerado/-a	Melodramatic	Exagérer	übertrieben	Overdreven
13. Propaganda	Advertisements	Publicité	Werbung	Reclame
14. Inquilino/-a	Tenant	Locataire	Mieter	Huurder
15. Mientras	Meanwhile	Pendant que	während	Terwijl
16. Entender	Understand	Comprendre	verstehen	Begrijpen
17. Parada	Stop	Station	Haltestelle	Halte
18. "Estar en el cielo"	To be in heaven	Être au ciel	im Himmel sein	In de hemel zijn
19. Huérfano/-a	Orphan	Orphelin/-e	Waise	Wees
20. Década	Decade	Décennie	Jahrzehnt	Decennium

CAPÍTULO 3

CASTELLANO	INGLÉS	FRANCÉS	ALEMÁN	NEERLANDÉS
1. No dar señales de vida	Not to hear from someone	Ne pas donner signe de vie	kein Lebenszeichen von sich geben	Taal noch teken geven
2. Fijarse en algo	Notice	Remarquer quelque chose	auf etwas aufmerksam werden	Het oog laten vallen op iets
3. Portada	Cover	Couverture	Titelseite	Voorpagina
4. Maldición	Damn	Malédiction	verflucht!	Verdomme
5. Margen	Margins	Marge	Rand	Kantlijn
6. Anotación	Notes	Note	Notizen	Aantekening
7. Esfuerzo	Efforts	Effort	Anstrengung	Inspanning
8. Vibrar	Vibrate	Vibrer	vibrieren	Trillen
9. Oferta de trabajo	Job offer	Offre de travail	Stellenangebot	Baanaanbod
10. Quizás	Maybe	Peut-être	vielleicht	Misschien
11. Despedirse	Say good-bye	Se dire au revoir	sich verabschieden	Afscheid nemen
12. Absorto/-a	Engrossed	Absorbé/-e	in Gedanken versunken	In gedachten verzonken
13. Suelo	Floor	Par terre	Fußboden	Grond
14. Odiar	Hate	Détester	hassen	Haten
15. Desconcertado/-a	Taken aback	Déconcerté/-e	verwirrt	Ontredderd
16. Manual de instrucciones	Instruction manual	Manuel d'instructions	Gebrauchsanleitung	Gebruiksaanwijzing
17. Sueño	Dream	Rêve	Traum	Droom
18. Enfadarse	Get angry	Se fâcher	ärgerlich werden	Boos worden
19. Flotar	Float	Flotter	schwimmen	Drijven
20. Apagarse	Go dead	S'éteindre	ausgehen	Uitvallen

CAPÍTULO 4

CASTELLANO	INGLÉS	FRANCÉS	ALEMÁN	NEERLANDÉS
1. ¡Mierda!	Shit!	Merde !	Scheiße!	Shit!
2. Lleno/-a de	Full of	Plein/-e de	voll von	Vol met
3. Gritar	Shouting	Crier	schreien	Schreeuwen
4. Batería	Battery	Batterie	Akku	Batterij
5. Llamada perdida	Missed call	Appel sans réponse	unbeantwortete Anrufe	Gemiste oproep
6. Raro/-a	Strange	Bizarre	seltsam	Vreemd
7. Chingá	Damn	Merde	verdammt nochmal!	Trut
8. Pareja	Couple	Deux	Paar, hier: zwei	Stel
9. Remar	Row	Ramer	rudern	Roeien
10. Solo/-a	Alone	Seul/-e	allein	Alleen
11. Levantarse	Get up (from)	Se lever	aufstehen	Opstaan
12. Sorprendido-/a	Surprised	Surpris/-e	überrascht	Verrast
13. Abrir los ojos como platos	Open (one's) eyes wide	Ouvrir des yeux grands comme des soucoupes	die Augen aufreißen	Enorme ogen opzetten
14. Confesar	Confess	Avouer	gestehen	Bekennen, opbiechten
15. Recuerdo	Memory	Souvenir	Erinnerung	Herinnering
16. Clavarse	Stab	S'enfoncer	durchdringen	Steken
17. Dolor	Pain	Douleur	Schmerz	Pijn
18. Tener derecho a algo	Have right to	Avoir le droit de quelque chose	das Recht haben, etwas zu tun	Recht op iets hebben
19. Desconfiar	Mistrust	Se méfier	misstrauen	Wantrouwen
20. Casarse	Marry	Se marier	heiraten	Trouwen

Ciudad de México
¿QUÉ VISITAR?

.... p. 14-15

Mexico City
WHAT TO VISIT

Mexico City is the largest urban area in the country, and if we consider its entire metropolitan area, it is the largest urban area in the Americas and in the whole world.

Mexico City is without a doubt one of the most outstanding urban hubs in existence. It also shows many different historical moments and very diverse cultural expressions. What areas can we enjoy in this enormous city?

If we go for a stroll around the historical city centre, located near the Zócalo, we can see many historical monuments. Mexico City has grown around this original

Another interesting neighbourhood is Colonia Roma. This is an area with a European, aristocratic style. Old houses and modern buildings can be seen here.

Coyoacán is also very attractive to tourists: It's one of the oldest neighbourhoods in the city and it has a bohemian atmosphere. People like Frida Kahlo, Diego Rivera or Leon Trotsky lived here.

Ville de Mexico
QUE VISITER ?

Mexico est la plus grande ville du pays et si nous incluons toute son agglomération, nous parlons de l'étendue urbaine la plus grande de tout le continent américain et du monde.

Mexico est sans doute une des villes les plus remarquables qui existent. C'est aussi un exemple de nombreux moments historiques différents et d'expressions culturelles diverses. Quelles zones pouvons-nous visiter dans cette ville infinie ?

En nous promenant dans le centre historique de la ville, situé autour du Zócalo, nous pourrons voir beaucoup de monuments historiques. Mexico a grandi autour de ce noyau original.

Un autre quartier intéressant est la Colonia Roma. Il s'agit d'une zone présentant un style européen et aristocratique. Nous pouvons y voir des maisons anciennes et des édifices modernes.

Coyoacán possède aussi un grand attrait touristique : c'est un des quartiers les plus anciens de la ville et il a une ambiance bohème. Dans ce quartier ont vécu des personnalités comme Frida Kahlo, Diego Rivera ou Léon Trotski.

Mexiko-Stadt
SEHENSWÜRDIGKEITEN

Mexiko-Stadt ist der größte städtische Ballungsraum des Landes, und betrachtet man die gesamte Metropolregion, so kann man zu Recht sagen, dass es sich auch um die größte urbane Ausdehnung des amerikanischen Kontinents und der ganzen Welt handelt.

Zweifellos ist Mexiko-Stadt einer der bemerkenswertesten städtischen Dreh- und Angelpunkte, die es gibt. Auch ist sie ein Beispiel für viele verschiedene historische Augenblicke und sehr unterschiedliche kulturelle Ausdrucksformen. Welche Gegenden kann man in dieser nicht enden wollenden Stadt genießen?

Schlendert man durch das historische Zentrum der Stadt, das sich rings um den Platz der Verfassung, den Zócalo, befindet, kann man zahlreiche historische Baudenkmäler entdecken. Mexiko-Stadt ist um diesen ursprünglichen Kern herum gewachsen. Ein weiteres interessantes Stadtviertel ist die Colonia Roma. Es handelt sich um eine Gegend im europäisch-aristokratischen Stil. Hier sieht man sowohl alte Häuser als auch moderne Gebäude.
Auch Coyoacán hat eine große touristische Anziehungskraft: als eines der ältesten Viertel der Stadt strahlt es eine leichtlebige, unkonventionelle Atmosphäre aus. In diesem Stadtviertel haben Persönlichkeiten wie Frida Kahlo, Diego Rivera oder Leon Trotsky gelebt.

Mexico-Stad
WAT TE BEZOEKEN?

Mexico-Stad is de grootste stad van het land en als we de gehele metropool meerekenen, dan is het de stad met de grootste omvang van geheel Amerika en van de hele wereld.

Mexico-Stad is ongetwijfeld een van de opvallendste steden die er bestaan. Ook is de stad een betuiging van veel verschillende historische momenten en van zeer uiteenlopende culturele uitingen. Van welke delen van deze oneindige stad kunnen we genieten?

Tijdens een wandeling door het historische centrum, rondom de Zócalo, kunnen we veel oude monumenten zien. Mexico-Stad heeft zich rondom deze oorspronkelijke kern uitgebreid.

Een andere interessante wijk is de Colonia Roma. Het gaat om een buurt met een Europese, aristocratische stijl. Hier zijn oude huizen en moderne gebouwen te zien.

Coyoacán heeft ook een belangrijke toeristische trekpleister: het is een van de oudste wijken van de stad en er hangt een bohemien sfeer. In deze wijk hebben persoonlijkheden zoals Frida Kahlo, Diego Rivera of Leon Trotsky gewoond.

La herencia prehispánica
UN MAR DE CULTURAS
.... **p. 26-27**

The Pre-Columbian legacy
A SEA OF CULTURES

When we speak of Pre-Columbian Mexico, we are referring to the historical period of this part of the world prior to the Spanish conquest in 1521. That is to say, we are speaking of a very long period of thousands of years.

A large number of people lived in the place that is now Mexico before the Spanish arrived. There are currently many archaeological sites and digs where the remains of the historical and cultural legacy of all of these civilizations can be found.

In the first millennium before Christ, in the valley where Mexico City is now, there was a city that is now known as Cuicuilco. It was an important settlement until the eruption of the volcano Xitle destroyed it.

Aztec culture is one of the most outstanding to occupy Mexico City. It was the Mexicas who founded Tenochtitlan, probably the largest metropolis in the Americas until the 17th century.

Aztec heritage is present in such diverse areas as agriculture, literature, and art. Their sculptures copy animals and gods, in a mixture of realism and symbolism.

L'héritage précolombien
UNE MER DE CULTURES

Quand nous parlons du Mexique précolombien, nous faisons référence à la période historique de cette zone de la planète avant la conquête espagnole à partir de 1521. C'est-à-dire que nous parlons d'une très longue période de milliers d'années.

De nombreux peuples vécurent à l'endroit qu'occupe maintenant Mexico avant l'arrivée des Espagnols. Actuellement, il y a beaucoup de gisements et de fouilles archéologiques où sont retrouvés des vestiges du patrimoine historique et culturel de ces civilisations.

Au cours du premier millénaire avant J.-C., il y avait, dans la vallée où se trouve Mexico, une ville connue à présent sous le nom de Cuicuilco. Ce fut un établissement humain important jusqu'à l'éruption du volcan Xitle qui la détruisit.

La culture des Mexicas est une des plus importantes à avoir occupé Mexico. Ce sont justement les Mexicas qui fondèrent Tenochtitlan, probablement la ville la plus grande d'Amérique jusqu'au XVIIe siècle.

L'héritage des Mexicas est présent dans des domaines très différents comme l'agriculture, la littérature et l'art. Leurs sculptures reproduisent des animaux et des dieux dans un mélange de réalisme et symbolisme.

Das prähispanische Erbe
EIN MEER VON KULTUREN

Spricht man vom prähispanischen Mexiko, so ist damit die historische Epoche dieses Teils des Planeten gemeint, bevor die spanische Eroberung ab 1521 ihren Lauf nahm. Es handelt sich also um eine sehr lange Zeit von Tausenden von Jahren.

Vor dem Eintreffen der Spanier hat an der Stelle, wo sich heute Mexiko befindet, eine Vielzahl von Völkern gelebt. Derzeit gibt es viele archäologische Fundstätten und Ausgrabungen, an denen man Überreste des historischen und kulturellen Erbes all dieser Zivilisationen finden kann.

Im ersten Jahrtausend vor Christus gab es in dem Tal, in dem heute Mexiko-Stadt liegt, eine Ortschaft, die jetzt als Cuicuilco bekannt ist. Es war eine bedeutende Siedlung, bis sie durch den Ausbruch des Vulkans Xitle zerstört wurde.

Die aztekische Kultur ist eine der bemerkenswertesten Kulturen, die in Mexiko-Stadt existierten. Waren es doch die Azteken, die Tenochtitlan, die vermutlich größte Metropole Amerikas bis zum 17. Jahrhundert, gegründet haben.

Das aztekische Erbe ist in so unterschiedlichen Bereichen wie der Landwirtschaft, der Literatur und der Kunst präsent. Seine Skulpturen stellen Tiere und Götter in einer Mischung aus Realismus und Symbolismus dar.

De precolumbiaanse erfenis
EEN WERELD VAN CULTUREN

Als we over precolumbiaans Mexico praten, dan verwijzen we naar de historische periode van dit deel van de wereld voordat het in 1521 door de Spanjaarden werd veroverd. We hebben het dus over een hele lange periode van duizenden jaren.

Op de plek die nu door Mexico wordt bezet hebben talrijke volken geleefd voordat de Spanjaarden zich er vestigden. Momenteel zijn er veel archeologische vindplaatsen en opgravingen waar overblijfselen te vinden zijn van het historische en culturele erfgoed van al deze beschavingen.

In het eerste millennium voor Christus bevond zich in de vallei waar nu Mexico-Stad ligt een stad die tegenwoordig bekend staat als Cuicuilco. Het was een belangrijke nederzetting tot de uitbarsting van de vulkaan Xitle de plaats verwoestte.

De Mexicaanse cultuur is één van de opmerkelijkste die Mexico-Stad heeft bezet. Het zijn juist de Mexicanen die Tenochtitlan stichtten, waarschijnlijk de grootste metropool van Amerika tot de 17e eeuw.

De Mexicaanse erfenis is aanwezig op diverse vlakken, waaronder de landbouw, literatuur en kunst. In de beeldhouwkunst worden dieren en goden uitgebeeld in een combinatie van realisme en symbolisme.

Literatura mexicana
UN SINFÍN DE HISTORIAS
.... **p. 38-39**

Mexican literature
ENDLESS STORIES

Mexico is one of the countries that has the greatest number of authors and works in Spanish-language literature. It is also one of the epicentres of the Latin American literary boom of the middle of the 20th century.

Important authors such as Octavio Paz, Jaime Sabines, Elena Poniatowska, Carlos Fuentes, Ángeles Mastretta, Juan Rulfo, José Emilio Pacheco and Laura Esquivel, indispensable figures for understanding Spanish-language literature, come from this country.

Octavio Paz was a poet, writer, and essayist who won the Nobel Prize for Literature in 1990. His most important works are *El laberinto de la soledad, Libertad bajo palabra* and *Blanco*.

Juan Rulfo's novel *Pedro Páramo* is considered to be a masterpiece. In it the author changes the classical structure of the novel, using different narrators. It was a literary work ahead of its time.

The novelist Elena Poniatowska won the Cervantes Prize in 2013. Some of her works are *Hasta no verte, Jesús mío* and *La noche de Tlatelolco*. Her work is heavily influenced by journalism.

Littérature mexicaine
UNE INFINITÉ D'HISTOIRES

Le Mexique est un des pays qui a apporté le plus d'auteurs et d'ouvrages à la littérature en espagnol. C'est aussi un des épicentres du dénommé « boom littéraire latino-américain » du milieu du XXe siècle.

De ce pays sont originaires des auteurs aussi importants que Octavio Paz, Jaime Sabines, Elena Poniatowska, Carlos Fuentes, Ángeles Mastretta, Juan Rulfo, José Emilio Pacheco et Laura Esquivel, des noms indispensables pour comprendre la littérature écrite dans la langue de Cervantès.

Poète, écrivain et essayiste, Octavio Paz gagna le Prix Nobel de littérature en 1990. Ses œuvres les plus importantes sont *El laberinto de la soledad, Libertad bajo palabra* et *Blanco*.

Le roman de Juan Rulfo, *Pedro Páramo*, est considéré comme un chef-d'œuvre. L'auteur y altère la structure classique du roman et emploie différentes personnes narratives. Il s'agit d'une œuvre littéraire en avance sur son temps.

La romancière Elena Poniatowska a gagné le Prix Cervantès en 2013. Certaines de ses œuvres sont *Hasta no verte, Jesús mío* et *La noche de Tlatelolco*. Son œuvre est très influencée par le journalisme.

Mexikanische Literatur
ENDLOS VIELE GESCHICHTEN

Mexiko ist eines der Länder, aus denen die meisten Autoren und Werke der spanischen Literatur hervorgegangen sind. Auch ist es eines der Epizentren des sogenannten „lateinamerikanischen Literaturbooms", der Mitte des 20. Jahrhunderts stattfand.

Aus diesem Land stammen berühmte Schriftsteller wie Octavio Paz, Jaime Sabines, Elena Poniatowska, Carlos Fuentes, Ángeles Mastretta, Juan Rulfo, José Emilio Pacheco und Laura Esquivel – nicht wegzudenkende Namen, um die Literatur in der Sprache von Cervantes verstehen zu können.

Octavio Paz war Dichter, Schriftsteller und Essayist und gewann im Jahr 1990 den Literaturnobelpreis. Seine wichtigsten Werke sind *El laberinto de la soledad, Libertad bajo palabra* und *Blanco*.
Der Roman *Pedro Páramo* von Juan Rulfo wird als Meisterwerk angesehen. Darin verändert der Autor die klassische Romanstruktur und verwendet verschiedene Erzähler. Es handelt sich um ein literarisches Werk, das seiner Zeit weit voraus war.
Die Romanschriftstellerin Elena Poniatowska gewann den Cervantes-Preis im Jahr 2013. Zu ihren Werken gehören *Hasta no verte, Jesús mío* und *La noche de Tlatelolco*. Ihr schriftstellerisches Schaffen ist stark vom Journalismus geprägt.

Mexicaanse literatuur
ONEINDIG VEEL VERHALEN

Mexico is een van de landen die met de meeste auteurs en werken heeft bijgedragen aan de Spaanstalige literatuur. Het is ook een van de epicentra van de zogenaamde "Latijns-Amerikaanse literaire boom" van halverwege de 20e eeuw.

Belangrijke auteurs zoals Octavio Paz, Jaime Sabines, Elena Poniatowska, Carlos Fuentes, Ángeles Mastretta, Juan Rulfo, José Emilio Pacheco en Laura Esquivel, namen die onmisbaar zijn om de literatuur in de taal van Cervantes te begrijpen, komen uit Mexico.

Octavio Paz was dichter, schrijver en essayist en heeft in 1990 de Nobelprijs voor Literatuur gewonnen. Zijn belangrijkste werken zijn *El laberinto de la soledad, Libertad bajo palabra* en *Blanco*.

De roman van Juan Rulfo *Pedro Páramo* wordt als meesterwerk beschouwd. Hierin verandert de schrijver de klassieke structuur van een roman en gebruikt hij verschillende vertellers. Het gaat om een literair werk dat zijn tijd voor was.

De romanschrijfster Elena Poniatowska heeft in 2013 de Cervantesprijs gewonnen. Een aantal van haar boeken zijn *Hasta no verte, Jesús mío* en *La noche de Tlatelolco*. Haar werk is erg beïnvloed door de journalistiek.

El bosque de Chapultepec
EL PULMÓN DE LA CIUDAD
.... p. 48-49

The Chapultepec forest
THE CITY'S LUNGS

It is the fifth-largest city park in the world and the oldest in the Americas. Every year over 15 million people visit it and 200,000, every weekend.

With a surface area of 678 hectares, the Chapultepec forest has two artificial lakes, various sports areas, and many fountains. It is one of the places most frequently visited by the inhabitants of Mexico City and by tourists, thanks to all of its tourist attractions. Here are some of them:

The National Museum of Anthropology has one of the world's most important collections of Pre-Columbian art, as well as housing the National Library of Anthropology and History.

The Castillo de Chapultepec National Museum of History is the only royal castle in America. Its paintings, furniture, stamp, and document collections stand out.

The Casa del Lago Juan José Arreola is a prestigious Latin American cultural centre. Representatives of the Mexican artistic vanguard have come together here for the last half a century.

La forêt de Chapultepec
LE POUMON DE LA VILLE

C'est le cinquième parc urbain le plus grand au monde et le plus ancien d'Amérique. Plus de 15 millions de personnes le visitent chaque année, 200 mille tous les week-ends.

D'une superficie de 678 hectares, la forêt de Chapultepec compte deux lacs artificiels, différents espaces sportifs et beaucoup de fontaines. C'est un des endroits les plus visités par les habitants de Mexico et par les touristes en raison des attraits touristiques qu'il contient. En voici quelques-uns :

Le Musée National d'Anthropologie possède une des collections de culture précolombienne les plus importantes au monde, en plus d'abriter la Bibliothèque Nationale d'Anthropologie et Histoire.

Le Musée National d'Histoire Castillo de Chapultepec est le seul château royal de toute l'Amérique. Parmi les collections qu'il contient, il faut souligner celles de peinture, meubles, timbres et documents.

La Maison du Lac Juan José Arreola est un centre culturel très prestigieux en Amérique latine. Ici se sont rencontrés les représentants de l'avant-garde artistique mexicaine des cinquante dernières années.

Der Wald von Chapultepec
DIE GRÜNE LUNGE DER STADT

Dies ist der fünftgrößte Stadtpark der Welt und der älteste Amerikas. Jedes Jahr besuchen ihn mehr als 15 Mio. Menschen, und an jedem Wochenende bekommt er rund 200.000 Besucher.

Auf einer Fläche von 678 Hektar bietet der Wald von Chapultepec zwei künstlich angelegte Seen, verschiedene Sportanlagen und zahlreiche Quellen. Aufgrund seiner touristischen Anziehungspunkte ist er einer der sowohl von den Einwohnern von Mexiko-Stadt als auch von Touristen meistbesuchten Orte. Zu diesen Anziehungspunkten gehören:

Das Nationalmuseum für Anthropologie, das eine der wichtigsten Sammlungen der Welt der prähispanischen Kultur umfasst und darüber hinaus die Nationalbibliothek für Anthropologie und Geschichte beherbergt.

Das Nationalmuseum für Geschichte Castillo de Chapultepec ist das einzige Königsschloss in ganz Amerika. Von den Sammlungen, die dort ausgestellt sind, heben sich die Gemälde, Möbel, Briefmarken und Urkunden hervor.

Die Casa del Lago Juan José Arreola ist ein Kulturzentrum, das in Lateinamerika sehr großes Ansehen genießt. Hier haben sich die Vertreter der mexikanischen künstlerischen Avantgarde des letzten halben Jahrhunderts eingefunden.

Het bos van de Chapultepec
DE GROENE LONG VAN DE STAD

Dit is het op vier na grootste park ter wereld en het oudste van Amerika. Elk jaar wordt het door meer dan 15 miljoen en elk weekend door 200.000 mensen bezocht.

Het bos van de Chapultepec, met een oppervlakte van 678 hectare, heeft twee kunstmeren, verschillende sportvoorzieningen en vele fonteinen. Het is een van de meest bezochte plaatsen, niet alleen door de inwoners van Mexico-Stad, maar ook door toeristen vanwege de aanwezige bezienswaardigheden. Een paar voorbeelden hiervan zijn:

Het Nationaal Museum voor Antropologie heeft een van de belangrijkste collecties ter wereld op het gebied van de precolumbiaanse cultuur. Bovendien is er de Nationale Bibliotheek van Antropologie en Geschiedenis gevestigd.

Het Nationaal Historisch Museum Castillo de Chapultepec is het enige koninklijke kasteel in heel Amerika. Onder de collecties die het museum bevat onderscheiden zich die van schilderijen, meubels, postzegels en documenten.

e Casa del Lago Juan José Arreola is een cultureel centrum dat in Latijns-Amerika veel prestige heeft. Hier hebben de vertegenwoordigers van de Mexicaanse avant-garde van de afgelopen halve eeuw elkaar ontmoet.

¡Comparte tus fotos y vídeos de la ciudad!
#undiaenciudaddemexico

¿Quieres leer más?